汉语系列教材 ＊ 修订版

汉语
HAN YU
练习册

北京华文学院 编

_____学校

姓名_____

暨南大学出版社
中国·广州

目录

1 新学期的第一天

练一练

一、读一读拼音:

1. chūfā　　　fēijī　　　jiāxiāng　　　guānxīn
   xī yān　　　qīngchūn　　　jiāotōng　　　sījī

2. Chuáng　qián　　míng　　yuè　guāng,
   Yí　　shì　　dì　　shàng　shuāng.
   Jǔ　　tóu　　wàng　　míng　　yuè,
   Dī　　tóu　　sī　　gù　　xiāng.

二、写一写汉字：

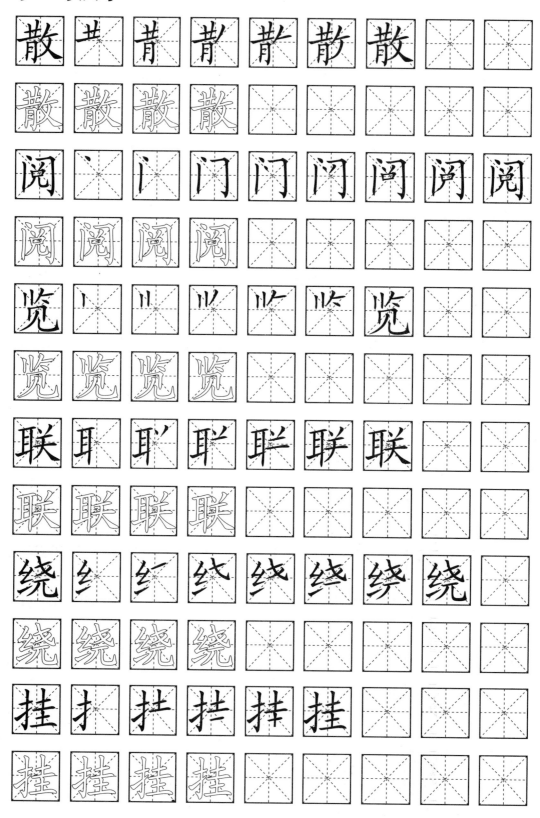

散	昔	肯	背	散	散		
散	散	散	散				
阅	丶	门	门	闩	阅	阅	阅
阅	阅	阅	阅				
览	丨	川	州	览	览		
览	览	览	览				
联	耳	耵	联	联	联		
联	联	联	联				
绕	纟	纟	纬	线	绕	绕	
绕	绕	绕	绕				
挂	扌	挂	挂	挂			
挂	挂	挂	挂				

票	一	二	亠	丙	兀	西	覀	票
票	票	票	票					
表	一	二	圭	圭	圭	表	表	表
表	表	表	表					
演	氵	沪	沪	演	演	演		
演	演	演	演					
相	木	利	杣	枂	相			
相	相	相	相					
声	一	十	士	吉	吉	吉	声	
声	声	声	声					
精	米	米	半	精	精	精	精	精
精	精	精	精					

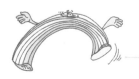

三、比一比字形：

阅	阅读	票	邮票
说	说话	漂	漂亮
相	相声	精	精彩
想	想家	请	请进

四、认一认生词：

散步　　　　晚饭后，奶奶常去公园散步。

阅览室　　　下课以后，阅览室里的人很多。

各种各样　　商场里摆着各种各样的玩具。

邮票　　　　哥哥很喜欢中国邮票。

联欢会　　　联欢会上，有的同学唱歌，有的同学跳舞，还有的同学说绕口令。

表演　　　　星期五学校有联欢会，我们班要表演两个节目。

精彩　　　电影院有新电影，听说很 精彩，我
　　　　　们去看吧！

相声　　　中国的 相声 很有意思。

五颜六色　我的房间挂着五颜六色的气球。

五、说一说句子：

　　小华有很多朋友，有的 在中国，有的 在日本，有的 在美国。

　　公园里的人很多，有的 ＿＿＿＿＿＿＿＿＿＿＿＿＿＿＿＿，

有的 ＿＿＿＿＿＿＿＿＿＿，　有的 ＿＿＿＿＿＿＿＿＿＿。

＿＿＿＿＿＿＿＿＿＿，　有的 ＿＿＿＿＿＿＿＿＿＿，

有的 ＿＿＿＿＿＿＿＿＿＿，　有的 ＿＿＿＿＿＿＿＿＿＿。

第二部分

测一测

一、请听下面的句子，选择一张合适的图：

1.

A   B   C

2.

A   B   C

二、读短文，选出正确的答案：

新学期到了，我们班来了两个新同学，一个从中国来，一个从美国来。我们想开一个联欢会，欢迎他们。表演什么节目呢？我说我表演绕口令；小红说女同学跳舞；小强说他想和李小龙说相声；陈真说大家还可以跟老师一起唱一首歌。唱什么歌好呢？有的说唱中国的，有的说唱日本的，还有的说唱美国的。后来，陈老师说，大家都学中文，我们唱中文歌吧！

1. 新学期，他们班来了几个新同学？

    A. 一个   B. 两个   C. 三个

2. 他们为什么要开联欢会？

    A. 新学期到了   B. 同学过生日   C. 欢迎新同学

3. 联欢会有几个节目？

    A. 四个   B. 三个   C. 两个

4. 联欢会上谁唱歌？

    A. 陈真   B. 陈真和同学们   C. 全班同学和老师

5. 最后，我们要唱什么歌？

    A. 日本歌   B. 中文歌   C. 美国歌

三、看拼音写汉字：

1. 早上，马路两边有很多人在_____（sàn bù）。

2. 每天晚上 6：00 到 6：30，电视里有_____（jīngcǎi）

    的动画片。

3. _____（yuèlǎn shì）的书架上，摆着很多书和

    _____（gè zhǒng gè yàng）的杂志。

4. 联欢会上同学们_____（biǎoyǎn）了很多_____

    ____（jiémù）。

2 妈妈幸福地笑了

练一练

一、读一读拼音：

1. chuānglián huānyíng   gāngqín   jiātíng

   ānquán   jīnnián   dāngrán   shēngcí

2. Cí   mǔ   shǒu   zhōng   xiàn，

   Yóu   zǐ   shēn   shang   yī．

   Lín   xíng   mì   mì   féng，

   Yì   kǒng   chí   chí   guī．

   Shuí   yán   cùn   cǎo   xīn，

   Bào   dé   sān   chūn   huī．

二、写一写汉字:

伤	丿	亻	亻	仁	伤	伤		
伤	伤	伤	伤					
静	主	青	青	青	青	静	静	
静	静	静	静					
扫	一	扌	扌	扫	扫	扫		
扫	扫	扫	扫					
幸	土	去	去	垚	幸			
幸	幸	幸	幸					
哭	口	叩	哭	哭				
哭	哭	哭	哭					
母	ㄴ	口	母	母	母			
母	母	母	母					

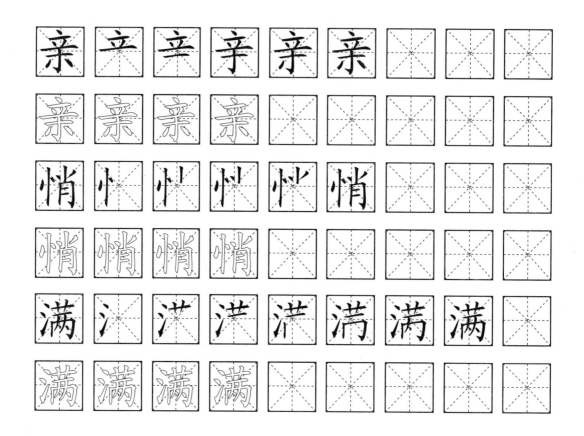

三、比一比字形：

| 地 | 地图 |
| 他 | 他们 |

| 操 | 体操 |
| 澡 | 洗澡 |

| 静 | 安静 |
| 筝 | 风筝 |

| 快 | 飞快 |
| 块 | 一块钱 |

四、认一认生词：

伤心　　当看到电影里的小孩子找不到妈妈的时候，她 伤心 地 哭 了。

体操　　上体育课的时候，操场上很热闹，有的做体操，有的跑步，还有的玩球。

安静　　小华的房间特别 安静 ，他是不是已经睡觉了？

齐声　　今天是教师节，当陈老师进教室的时候，同学们 齐声 说："祝老师节日快乐！"

飞快　　下雨了，同学们都 飞快 地跑进教室。

打扫　　小华常常帮妈妈打扫房间，妈妈对他很满意 。

仔细　　老师说："大家要好好学习，仔细听课，认真复习。"

幸福　　中秋节，我们全家一起去看奶奶，奶奶觉得很幸福 。

五、说一说句子：

1. 小红伤心 地 哭了。

　　　　　生气 地 　　　　　了。

　　　　　悄悄 地 　　　　　了。

　　　　　　　　　 地 　　　　了。

2. 同学们 在 认真 地 做体操。

　　　　　在 开心 地 　　　　　。

　　　　　在 安静 地 　　　　　。

　　　　　在 　　　　地 　　　　　。

3. 我们 要 认真 地 做练习。

　　　　　要 仔细 地 　　　　　。

　　　　　要 大声 地 　　　　　。

　　　　　要 　　　　地 　　　　　。

测一测

一、请听下面的句子，选择一张合适的图：

1.

A   B   C

2.

A   B   C

3.

A   B   C

二、把下面的词语排成正确的句子：

1. ①幸福地　　②了　　　③笑　　　④妈妈

_____

2. ①在　　　②小华　　③看书　　④安静地

_____

3. ①回答问题 ②你　　　③大声地　　④ 要

_____

4. ①地　　　②小明　　③擦桌子　　④仔细

_____

5. ①点头　　②点　　　③了　　　④他满意地

_____

三、看图完成句子，每句写 3～5 个字：

1. 她正在＿＿＿＿＿＿做练习。　2. 他们＿＿＿＿＿＿跑回家。

3. 妈妈正在＿＿＿＿＿＿。　4. 妹妹＿＿＿＿＿＿哭了。

5. 弟弟＿＿＿＿＿＿走了。　6. 奶奶正在＿＿＿＿睡觉。

3 哥哥长得很高

练一练

一、读一读拼音：

1. qiānbǐ   jīchǎng   xīnkǔ   shēntǐ

    kāishǐ   hēibǎn   cāochǎng   jīnglǐ

2. Zhǔ   dòu   rán   dòu   qí ，

    Dòu   zài   fǔ   zhōng   qì .

    Běn   shì   tóng   gēn   shēng ，

    Xiāng   jiān   hé   tài   jí .

二、写一写汉字：

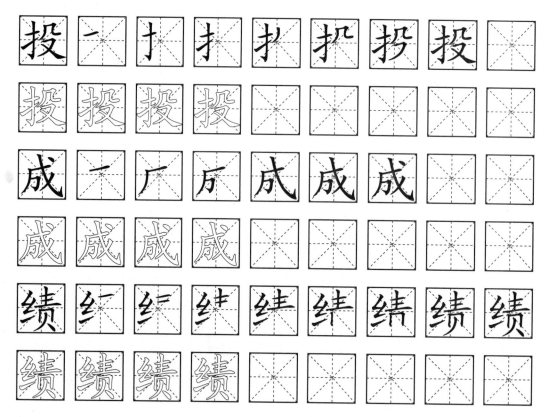

投	一	十	才	扌	护	投	投	
投	投	投	投					
成	一	厂	厂	成	成	成		
成	成	成	成					
绩	纟	纟	纩	纬	绩	绩	绩	
绩	绩	绩	绩					

三、比一比字形：

| 半 | 一半 | | 加 | 参加 |
| 胖 | 胖子 | | 架 | 书架 |

| 投 | 投篮 | | 准 | 准备 |
| 没 | 没有 | | 难 | 不难 |

汉语练习册·第五册

四、认一认生词：

胖　　　　我有一个弟弟，长得 胖 胖 的，很可爱。

马　　　　《小 马 过河》的故事，很有意思。

帅　　　　哥哥很聪明，长得也很 帅，大家都很喜欢他。

队　　　　昨天你看足球赛了吗？我们学校的足球队 踢

　　　　　得真精彩！

参加　　　小强想 参加 学校的篮球队。

投　　　　谁做我们班的班长，请大家 投 票。

准　　　　我的表不 准，快了三分钟。

成绩　　　小红很聪明，也很认真，每次考试成绩都

　　　　　很好。

运动员　　这些运动员要代表国家参加世界比赛。

刻苦　　　他每天睡得很 晚，起得很 早，学习很

　　　　　刻苦。

五、说一说句子：

1. 哥哥长 得 很帅。

妈妈长 得 很＿＿＿＿＿＿。

＿＿＿＿＿＿长 得 很＿＿＿＿＿＿。

2. 妹妹睡 得 很早。

小猴子爬 得 非常高。

＿＿＿＿＿＿飞 得 ＿＿＿＿＿＿。

＿＿＿＿＿＿ 得 ＿＿＿＿＿＿。

3. 弟弟吃 得 多，妹妹吃 得 少。

＿＿＿＿＿＿长 得 ＿＿＿，＿＿＿长 得 ＿＿＿＿＿。

＿＿＿ ＿＿＿ 得 ＿＿＿＿＿，＿＿＿ ＿＿＿ 得 ＿＿＿＿＿。

4. 那个演员长 得 漂亮 不 漂亮？那个演员长 得 很漂亮。

爷爷睡 得 早 不 早？　爷爷睡 得 不早。

＿＿＿ ＿＿＿ 得 ＿＿＿ 不 ＿＿＿？　＿＿＿ ＿＿＿ 得 不＿＿＿。

测 一 测

一、请听下面的句子，选择一张合适的图：

1.

A

B

C

2.

A

B

C

二、选择合适的词填空：

1. 爸爸长_____很高。

　　A. 地　　　　　　B. 的　　　　　　C. 得

2. 他投篮特别_____。

　　A. 难　　　　　　B. 准　　　　　　C. 谁

3. 那个很_____的男生是你哥哥吗？

    A. 帅   B. 师   C. 美丽

4. 这个_____代表学校参加篮球比赛。

    A. 演员   B. 运动员   C. 飞行员

5. 他学习很_____，成绩非常好。

    A. 应该   B. 辛苦   C. 刻苦

三、把下面的词语排成正确的句子：

1. ①是   ②学校篮球队的   ③队长   ④哥哥

    _____

2. ①参加   ②常常   ③篮球比赛   ④他

    _____

3. ①飞得   ②远   ③非常   ④小鸟

    _____

4. ①妈妈   ②晚   ③睡得   ④不晚

    _____

5. ①妹妹   ②得   ③不胖   ④长

    _____

4 他汉语说得很流利

练一练

一、读一读拼音:

1. gāoxìng   shēngrì   shāngdiàn   yīnyuè
   chī fàn   gōngzuò   bāngzhù   xīwàng

2. Bái   rì   yī   shān   jìn ，
   Huáng   hé   rù   hǎi   liú .
   Yù   qióng   qiān lǐ   mù ，
   Gèng   shàng   yì   céng   lóu .

二、写一写汉字：

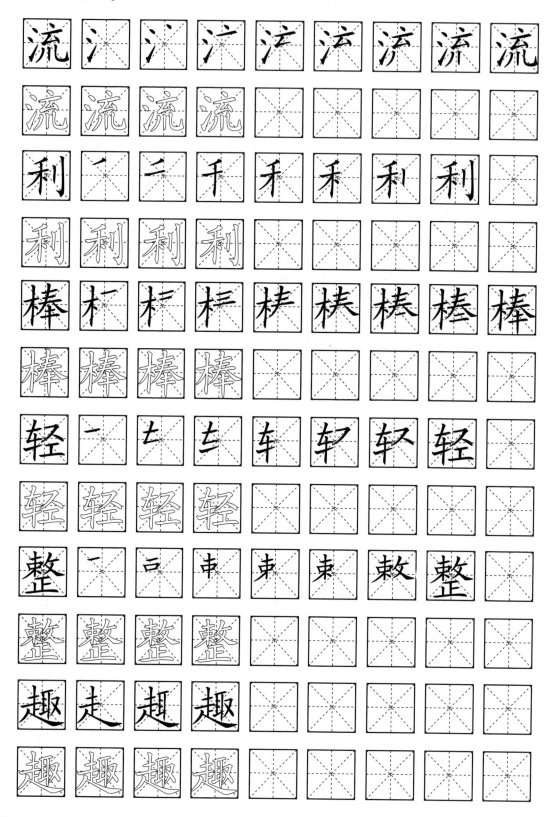

流	氵	浐	汸	浐	浐	済	流
流	流	流	流				
利	一	二	千	禾	禾	利	利
利	利	利	利				
棒	木	杧	栫	棒	棒	棒	棒
棒	棒	棒	棒				
轻	一	七	车	车	轩	轻	轻
轻	轻	轻	轻				
整	一	日	申	束	束	敕	整
整	整	整	整				
趣	走	趄	趣				
趣	趣	趣	趣				

错	钅	钅	钅	钅	错		
错	错	错	错				
厉	一	厂	厉	历	厉		
厉	厉	厉	厉				
害	宀	宀	宇	害			
害	害	害	害				

三、比一比字形：

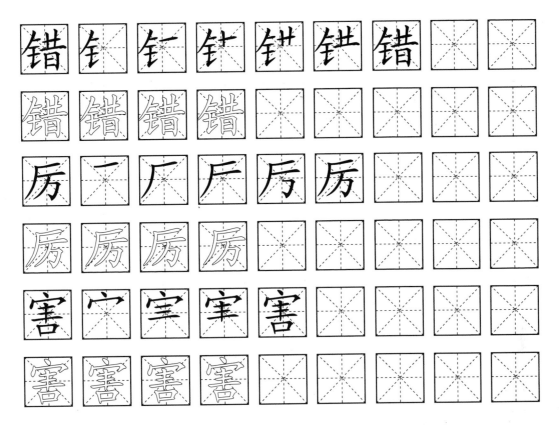

| 利 | 流利 | | 提 | 小提琴 |
| 种 | 种花 | | 题 | 问题 |

| 轻 | 年轻 | | 毛 | 毛衣 |
| 经 | 已经 | | 笔 | 毛笔 |

四、认一认生词：

流利　　　小华已经学了两年汉语了，他汉语说得很流利。

课本　　　老师常常对同学们说："要爱护你们的课本！"

特长　　　我们班每个人都有自己的特长，有的会唱歌，有的会跳舞，还有的会拉小提琴。

棒　　　　奶奶做的中国菜真棒，全家人都特别爱吃。

年轻　　　我的妈妈很年轻，长得也很漂亮。

毛笔　　　爷爷喜欢用毛笔写字，叔叔喜欢用电脑打字。

愿意　　　这个游戏很有趣，你愿意参加吗？

准时　　　老师让我们准时到教室，不要迟到。

厉害　　　她的汉字写得很工整，也很快，真厉害。

不错　　　我觉得这个节目表演得不错。

五、说一说句子：

1. 每 本书 都 很有意思。

每 _____ 都 _____ 。

小华 每 天 都 六点半起床。

我们班 每 个人 都 有特长。

_____ 每 _____ 都 _____ 。

每 年春天我们 都 去郊游。

每 _____ 我们 都 _____ 。

每 _____ _____ 都 _____ 。

2. 小强游泳游 得 很快。

_____ 洗澡洗 得 _____ _____ 。

_____ _____ 得 _____ _____ 。

3. 小华汉语说 得 很流利。

_____ 篮球打 得 _____ 。

画儿 _____ 得 _____ 。

_____ _____ 得 _____ 。

第二部分

测一测

一、请听下面的句子，选择一张合适的图：

1.

A

B

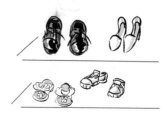

C

2.

A

B

C

3.

A

B

C

二、选择合适的词语填空：

1. 每个学期，我们____有新课本。

　　A. 都　　　　　　B. 还　　　　　　C. 跟

2. 哥哥足球____得很不错。

　　A. 打　　　　　　B. 踢　　　　　　C. 跑

3. 李老师的____是写一手漂亮的毛笔字。

　　A. 特别　　　　　B. 非常　　　　　C. 特长

三、把下面的词语排成正确的句子：

1. ①拉得　　　②小提琴　　　③很棒　　　　④她

　　_____

2. ①汉语　　　②小华　　　③很流利　　　④说得

　　_____

3. ①我们　　　②去郊游　　　③都要　　　④每年秋天

　　_____

四、看汉字写拼音：

　　工整_____　准时_____　愿意_____　厉害_____

5　我和妈妈逛商场

听 力 (30分)

一、选出你听到的拼音：(8分)

1. máoyī　　　màoyì
   (　　)　　(　　)

2. búzuò　　　búcuò
   (　　)　　(　　)

3. biǎoyǎn　biǎoyáng
   (　　)　　(　　)

4. hěn bàng　hěn pàng
   (　　)　　(　　)

二、请听下面的句子，选择一张合适的图：(12分)

1.

A　　　　　　　B　　　　　　　C　　□

2.

A   B   C

3.

A   B   C

三、请听下面的对话，选择一个正确的答案：(10 分)

1. A. 中国的   B. 美国的   C. 日本的

2. A. 擦桌子   B. 看书   C. 看电视

3. A. 很好   B. 不好   C. 不太好

4. A. 不知道   B. 不太好   C. 很流利

5. A. 大衣   B. 毛衣   C. 毛笔

阅 读 (40分)

一、选择正确的拼音:(10分)

　　1. 妈妈不在家，她去____商场了。

　　　　A. guāng　　　　B. guǎng　　　　C. guàng

　　2. 你有什么特____？

　　　　A. cháng　　　　B. zhǎng　　　　C. chàng

　　3. 哥哥长____很高。

　　　　A. dé　　　　B. děi　　　　C. de

　　4. 妹妹伤心____哭了。

　　　　A. de　　　　B. dì　　　　C. di

　　5. 联欢会上，同学们表演的节目非常精____。

　　　　A. zǎi　　　　B. cǎi　　　　C. chǎi

二、选择合适的词语填空:(10分)

　　1. 我们班的同学，有___喜欢听音乐，有___爱游泳。

　　　　A. 的　　　　B. 地　　　　C. 得

　　2. 弟弟安静___睡着了。

　　　　A. 的　　　　B. 地　　　　C. 得

3. 爸爸每天都起___很早。

    A. 的   B. 地   C. 得

4. 叔叔篮球打得很好，投篮投得很___。

    A. 准   B. 仔细   C. 流利

5. 我想___一件样式最好看的毛衣送给妈妈。

    A. 先   B. 选   C. 洗

三、把下面的词语排成正确的句子：(10分)

1. ①要   ②我们   ③做练习   ④认真地

_____

2. ①不高   ②高   ③你弟弟   ④长得

_____

3. ①写得   ②她的作业   ③都很工整 ④每个字

_____

4. ①很不错   ②小提琴   ③他   ④拉得

_____

5. ①参加比赛 ②美国   ③这个运动员 ④代表

_____

四、读短文，选出正确的答案：(10 分)

　　很多中国人常常睡得早，起得也很早。他们六点半起床，七点吃早饭，八点上班。上午工作四个小时，十二点一刻吃午饭。午饭后，先休息一会儿再工作四个小时。下班后，有的人去见朋友，有的人去逛商场，还有的人先去超市、菜市场买菜，然后再回家做饭。中国人每家晚饭准备得都很认真。晚饭后，有的看看书、看看报，有的和家人开心地聊聊天，还有的看看电视。到了十点半，人们就要睡觉了。

　　1. 中国人常常＿＿＿＿＿。

　　　A. 睡得早起得也早

　　　B. 睡得早起得晚　　　　　　　C. 睡得晚起得早

　　2. 中国人常常一天工作几个小时？

　　　A. 四个小时　　B. 八个小时　　C. 十二个小时

　　3. 中国人晚饭准备得怎么样？

　　　A. 很认真　　　B. 很多　　　C. 很辛苦

　　4. 晚饭后，中国人不做什么？

　　　A. 看书　　　　B. 看电视　　　C. 跑步

　　5. 中国人常常几点睡觉？

　　　A. 六点半　　　B. 七点　　　C. 晚上十点半

汉语练习册·第五册

第三部分

汉　字 (30 分)

一、看拼音写汉字：(10 分)

1. 小强想＿＿＿（cānjiā）学校的足球队。

2. 妈妈正在＿＿＿（zǐxì）地打扫房间。

3. 小华的学习＿＿＿（chéngjì）很好。

4. 小红哭得很＿＿＿（shāngxīn）。

5. 我们班的每位老师都很＿＿＿（niánqīng）。

二、读句子写汉字：(5 分)

1. 那件衣服的＿＿＿＿式不错。

2. 这条裙子的颜色太＿＿＿了，有没有浅一点儿的？

3. 他的汉字写得很工＿＿＿，也很快。

4. 这个游戏很有趣，你＿＿＿意参加吗？

5. 同学们学习都很＿＿＿苦。

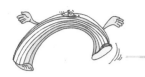

三、看图完成句子，每个空写 2～5 个字：(15 分)

　　1. 公园里的人很多，有的在_____，有的在_____，还有的在_____。

　　2. 她正在_____地做作业。

　　3. 他篮球_____。

　　小任务　说一说你和同学们的特长。

汉语练习册·第五册

6 桌子和椅子的对话

练一练

一、读一读拼音：

1. pángbiān   máoyī   guójiā   fángjiān

   jié hūn   liánhuān   shíjiān   chénggōng

2. Chūn   mián   bù   jué   xiǎo ，

   Chù   chù   wén   tí   niǎo .

   Yè   lái   fēng   yǔ   shēng ，

   Huā   luò   zhī   duō   shǎo .

二、写一写汉字：

腿	月	月	月	月	胆	胆	腿	腿
腿	腿	腿	腿					

唉	口	口	口	咍	唉	唉	唉	
唉	唉	唉	唉					

伸	丿	亻	亻	们	伯	伯	伸	
伸	伸	伸	伸					

腰	丿	刀	月	月	胖	腰		
腰	腰	腰	腰					

蹦	止	趵	蹦	蹦				
蹦	蹦	蹦	蹦					

划	一	七	戈	戈	戈	划		
划	划	划	划					

三、比一比字形：

| 发 | 沙发 | 刀 | 刀子 |
| 友 | 朋友 | 力 | 努力 |

| 刻 | 刻刀 | 主 | 主人 |
| 孩 | 孩子 | 王 | 姓王 |

四、认一认生词：

对话　　我们练习用中文对话吧！

钱包　　妈妈想买一个漂亮的钱包送给爸爸。

明信片　新年快到了，我想给奶奶寄一张明信片，

　　　　祝她"身体健康，新年快乐！"

伸　　　小猫起床了，它从沙发下面走出来，伸

　　　　了伸腰和腿，跑进花园里玩去了。

身　　　今天我身上没带钱，你能借我一点儿吗？

刀　　　不要用刀在桌子上划来划去。

别的　　　新年联欢会上，我和小强说相声，别的同学有的唱歌，有的跳舞。

主人　　　老师常常说，我们要做时间的主人。

蹦　　　小猴子飞快地蹦到旁边的树上。

难看　　　他的字写得不工整，很难看。

变　　　一个月不见，你家的小狗变胖了。

五、说一说句子：

1. 哥哥已经回到家了。

＿＿＿＿走到＿＿＿＿＿＿＿。

今天在商场，我看到陈老师了。

＿＿＿＿找到＿＿＿＿＿＿＿。

小华已经做到最后一道题了。

＿＿＿＿学到＿＿＿＿＿＿＿。

昨天晚上，我看书看到十一点。

＿＿＿＿工作到＿＿＿＿＿＿。

2. 小强借 给 我一本漫画书。

　　　　送 给 妈妈 ＿＿＿＿＿＿＿＿＿。

　　　　寄 给 ＿＿＿＿＿＿＿＿＿＿＿。

＿＿ 给 ＿＿＿＿＿＿＿＿＿＿＿＿。

3. 奶奶坐 在 沙发上看电视。

　　　　站 在 黑板前 ＿＿＿＿＿＿＿。

＿＿＿ 躺(tǎng) 在 ＿＿＿＿＿＿＿＿。

4. 电影要开始了，小华还没来，小强急得在电影院
　　门口走 来 走 去 。

　　　　在 ＿＿＿快乐地＿＿ 来 ＿＿ 去 。

＿＿＿＿＿＿＿＿＿＿＿ 来 ＿＿＿ 去 。

第二部分

测 一 测

一、请听下面的句子，选择一张合适的图：

1.

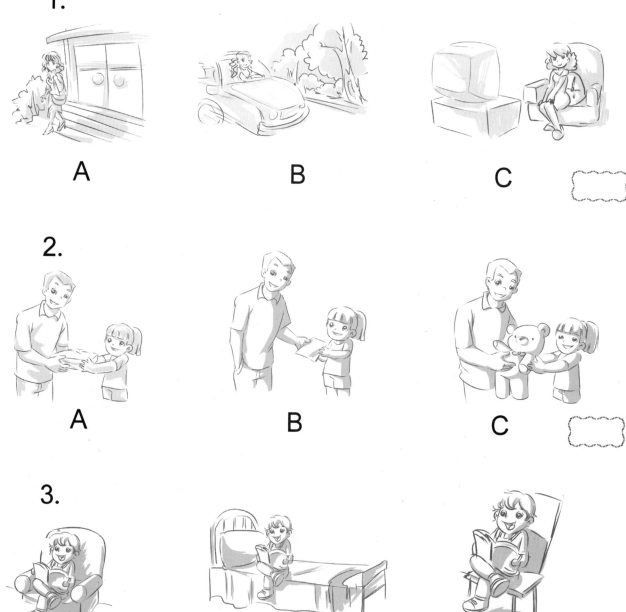

A   B   C

2.

A   B   C

3.

A   B   C

二、选择合适的词语填空：

1. 小华正在用中文＿＿＿陈老师对话。

　　A. 和　　　　　　B. 给　　　　　　C. 对

2. 每天早上起床，小强都要先＿＿＿腰再下床。

　　A. 弯弯　　　　　B. 摇摇　　　　　C. 伸伸

3. 不要用刀子在桌椅上＿＿来＿＿去。

　　A. 写　　　　　　B. 划　　　　　　C. 该

4. 他的特长是打乒乓球，＿＿＿运动也都不错。

　　A. 别的　　　　　B. 喜欢　　　　　C. 爱

三、把下面的词语排成正确的句子：

1. ①妈妈　　②沙发上　③在　　　　　④坐

　　＿＿＿＿＿＿＿＿＿＿＿＿＿＿＿＿＿＿＿＿＿

2. ①送给　　②小华　　③爸爸　　④一件生日礼物

　　＿＿＿＿＿＿＿＿＿＿＿＿＿＿＿＿＿＿＿＿＿

3. ①没　　　②钱包　　③找到　　④他

　　＿＿＿＿＿＿＿＿＿＿＿＿＿＿＿＿＿＿＿＿＿

4. ①蹦去　　②蹦来　　③小兔子　　④在草地上

　　＿＿＿＿＿＿＿＿＿＿＿＿＿＿＿＿＿＿＿＿＿

7 老山羊的礼物

练一练

一、读一读拼音：

1. shítáng   yínháng   xuéxí   tóngxué

   huídá   liúxíng   értóng   liú xué

2. Sōng   xià   wèn   tóng   zǐ ，

   Yán   shī   cǎi   yào   qù .

   Zhǐ   zài   cǐ   shān   zhōng ，

   Yún   shēn   bù   zhī   chù .

二、写一写汉字：

三、比一比字形：

| 考 | 考试 | 忙 | 帮忙 |
| 老 | 老师 | 忘 | 忘记 |

| 子 | 菜子 | 慢 | 很慢 |
| 仔 | 仔细 | 漫 | 漫画 |

四、认一认生词：

老 　老山羊和小灰兔是老朋友了。

排 　他排队帮我买电影票，我很感激他。

象棋 　周末，小华常常跟爷爷下象棋。

收 　秋天到了，你看很多农民在田里收白菜呢。

羡慕 　这篇文章他写得好极了，我真羡慕。

帮忙 　小华觉得妈妈工作了一天很辛苦，做饭的
　　　　时候，他常常给妈妈帮忙。

慢 　小强跳得高，跑得也不慢，让他参加我们
　　　的篮球队吧！

五、说一说句子：

1. 我们要学 好 中文。

   妈妈已经做 好 饭了。

   _____ 好 _____。

   准备 好 了吗？

   _____ 好 了吗？

2. 爸爸看 完 报纸了。

   _____ 做 完 _____ 了。

   _____ 洗 完 _____ 了。

3. A: 这个句子你看 懂 了吗？

   B: 看 懂 了。

   A: _____ 你听 懂 了吗？

   B: _____ 了。

4. A: 你学 会 唱这首歌了吗？

   B: 没学 会。

   A: _____ 学 会 _____ 了吗？

   B: 没_____。

第二部分

测一测

一、请听下面的对话，选择一个正确的答案：

1. A. 考试　　　　B. 复习　　　　C. 预习

2. A. 电视节目很有意思　　　B. 她不爱做作业

 C. 她做完作业了

3. A. 看得懂，也听得懂　　　B. 看不懂，也听不懂

 C. 看得懂，听不懂

4. A. 学会了　　　B. 没学会　　　C. 考得不好

二、选择正确的汉字或拼音：

1. 小___兔和小白兔是邻居。

 A. 友　　　　B. 灰　　　　C. 右

2. 太阳___地落山了。

 A. 漫漫　　　　B. 馒馒　　　　C. 慢慢

3. 卖票的地方___着很长的队。

 A. pái　　　　B. bái　　　　C. pài

4. 小兔子特别爱吃白___。

 A. zài　　　　B. sài　　　　C. cài

三、把下面的词语排成正确的句子：

1. ①要 　　②学好 　　③我们 　　④中文

_____

2. ①同学们 　　②了 　　③队 　　④排好

_____

3. ①没 　　②小明 　　③下象棋 　　④学会

_____

4. ①你 　　②吗 　　③听懂了 　　④这个问题

_____

四、看图完成句子：

1. 他写_____了。 　　　　他没_____。

2. 他听_____了。 　　　　他没_____。

8 可爱的大熊猫

练一练

一、读一读拼音：

1. máobǐ   cídiǎn   niúnǎi   méiyǒu

     píngguǒ   píjiǔ   yóulǎn   jiéguǒ

2. Lí   lí   yuán   shàng   cǎo ，

     Yí   suì   yì   kū   róng .

     Yě   huǒ   shāo   bú   jìn ，

     Chūn   fēng   chuī   yòu   shēng .

二、写一写汉字：

调	讠	讱	讱	调	调			
调	调	调	调					
世	一	十	廿	世	世			
世	世	世	世					
界	田	界	界	界				
界	界	界	界					
珍	王	珍	珍					
珍	珍	珍	珍					
帘	宀	宍	宭	帘				
帘	帘	帘	帘					
保	亻	仔	伢	伢	伢	保	保	
保	保	保	保					

三、比一比字形：

| 支 | 一支笔 | 界 | 世界 |
| 肢 | 四肢 | 介 | 介绍 |

| 膀 | 肩膀 | 护 | 保护 |
| 旁 | 旁边 | 户 | 窗户 |

四、认一认生词：

合　　现在我们开始考试,请大家合上书和本子。

四肢　昨天我打了两个多小时的篮球,现在四肢和肩膀都很疼。

身子　他家的小白兔长长的耳朵，红红的眼睛，白白的身子，真可爱!

保护　我们从小就要保护好自己的眼睛和牙齿。

空调　这个屋子里没有空调。

世界　世界上有很多珍贵的动物, 大熊猫就是其中的一种。

窗户　糟糕, 刚打开窗户就刮风了。

五、说一说句子：

1. 房间里太热了，快打 开 门！

   打 开 ＿＿＿＿＿＿＿＿！

   张 开 ＿＿＿＿＿＿＿＿！

   放 开 ＿＿＿＿＿＿＿＿！

   拉 开 ＿＿＿＿＿＿＿＿！

2. 风太大了，关 上 门！

   ＿＿＿＿＿＿＿，关 上 ＿＿＿＿＿＿＿！

   ＿＿＿＿＿＿＿，合 上 ＿＿＿＿＿＿＿！

   ＿＿＿＿＿＿＿，穿 上 ＿＿＿＿＿＿＿！

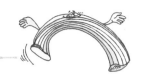

测一测

一、请听下面的句子，选择一张合适的图：

1.

A　　　　　　　　　　B　　　　　　　　　　C　　　　

2.

A　　　　　　　　　　B　　　　　　　　　　C　　　　

3.

A　　　　　　　　　　B　　　　　　　　　　C　　　　

汉语练习册・第五册

二、看图写汉字：

1. (　　　　)

2. (　　　　)

3. (　　　　)

4. (　　　　)

5. (　　　　)

6. (　　　　)

7. (　　　　)

8. (　　　　)

9. (　　　　)

10. (　　　　)

三、看汉字写拼音：

窗帘＿＿＿＿＿＿＿　　空调＿＿＿＿＿＿＿　　珍贵＿＿＿＿＿＿＿

屋子＿＿＿＿＿＿＿　　保护＿＿＿＿＿＿＿　　世界＿＿＿＿＿＿＿

关灯＿＿＿＿＿＿＿　　窗户＿＿＿＿＿＿＿　　熊猫＿＿＿＿＿＿＿

9 狼来了

练一练

一、读一读拼音：

1. yóupiào   xuéxiào   zázhì   láodòng

   yúkuài   guójì   wénhuà   huíyì

2. Chú   hé   rì   dāng   wǔ ，

   Hàn   dī   hé   xià   tǔ .

   Shuí   zhī   pán   zhōng   cān ，

   Lì   lì   jiē   xīn   kǔ .

二、写一写汉字：

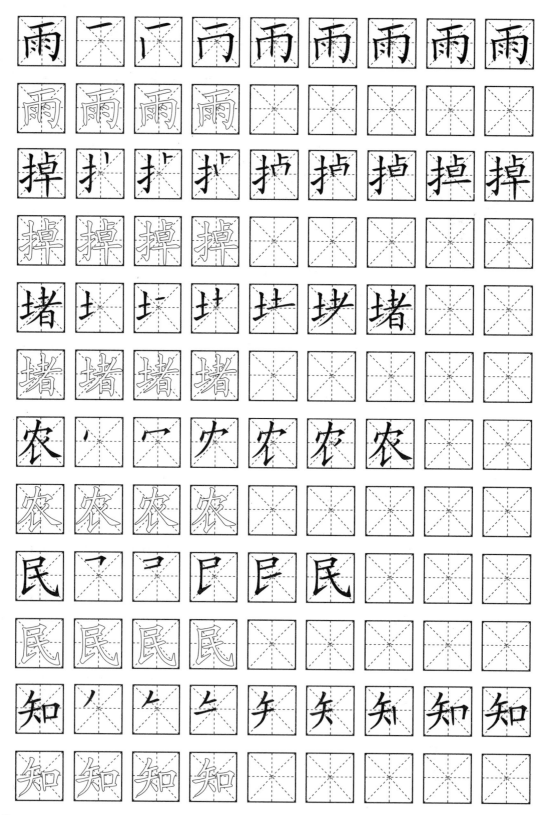

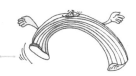

受 一 丶 丆 严 严 受 受
受 受 受 受
骗 马 马 马 驴 骗 骗 骗
骗 骗 骗 骗
垃 土 圹 圹 垃 垃
垃 垃 垃 垃
圾 土 圠 圾 圾
圾 圾 圾 圾
梦 木 林 梦 梦 梦
梦 梦 梦 梦
谎 讠 讠 讠 谎 谎 谎 谎
谎 谎 谎 谎

三、比一比字形：

买	买东西	样	样子
卖	卖东西	羊	山羊
道	知道	受	受骗
首	一首歌	爱	爱人

四、认一认生词：

雨　　　夏天的时候，这儿常常下 雨。

堵　　　上下班的时候，这儿常常 堵 车。

掉　　　谁的书 掉 在地上了？

扔　　　阿姨，请问这儿可以 扔 垃圾 吗？

从前　　奶奶说故事的时候，开口就是"从前……"。

农民　　一年四季，农民 都很辛苦。

着急　　知道自己 受骗 了，小强非常 着急。

样子　　你看她 害怕 的 样子，不要再骗她啦。

说谎　　说谎是一个非常不好的习惯。

五、说一说句子：

1. 今天 **又** 下雨 **了**。

_____ **又** 说谎 **了**。

_____ **又** _____ **了**。

2. 起床的时候，我看 **见** 妈妈在做早饭。

_____的时候，我看 **见** ____在_____。

_____，我听 **见** _____在_____。

3. 爸爸一个人吃 **掉** 了二十个饺子。

今天妈妈逛商场，花 **掉** 了八百多块钱。

_____吃 **掉** 了_____。

_____喝 **掉** 了_____。

_____卖 **掉** 了_____。

4. 他弟弟今年 **八九** 岁。

我们班有 **十二三** 个学生。

_____ **一百五六十** 块钱。

_____已经有 **三四** 天没_____了。

第二部分

测一测

一、请听下面的对话，选择一个正确的答案：

1. A. 常打　　　　B. 不常打　　　　C. 不喜欢打

2. A. 三十四岁　　B. 三十五岁　　　C. 三十四五岁

3. A. 没听见　　　B. 没看见　　　　C. 不知道

4. A. 能吃完　　　B. 吃不完　　　　C. 没关系

二、选择正确的汉字或拼音：

1. 农民们知道又___骗了，生气地走了。

　　A. 爱　　　　　B. 受　　　　　　C. 暖

2. 《狼来了》这个故事，告诉我们不要说____。

　　A. 谎　　　　　B. 慌　　　　　　C. 荒

3. 钱包丢了，她____急地哭了。

　　A. zháo　　　　B. zhe　　　　　C. zhuó

4. 别害____，这是只玩具狗。

　　A. bái　　　　　B. bà　　　　　　C. pà

三、把下面的词语排成正确的句子：

1. ①迟到　　②又　　③他　　④了

　　_____

2. ①唱歌　　②在　　③妈妈　　④我听见

　　_____

3. ①八　　②岁了　　③九　　④她

　　_____

四、读句子写汉字：

1. 昨天晚上，我____见自己成了飞行员。

2. 这儿不能____垃圾。

3. 你的钱包____在地上了。

4. 那个小女孩找不到妈妈，她____急地哭了。

10 司马光砸缸

听 力 (30分)

一、选出你听到的拼音：(10分)

1. hūrán   hùlán   2. déjiù   dìqiú
   (   )   (   )   (   )   (   )

3. qiánbāo   jiǎndāo   4. chuānglián   chuáng qián
   (   )   (   )   (   )   (   )

5. sījī   sìzhī
   (   )   (   )

二、请听下面的句子，选择一张合适的图：(10分)

   1.

A

B

C

汉语练习册·第五册

2.

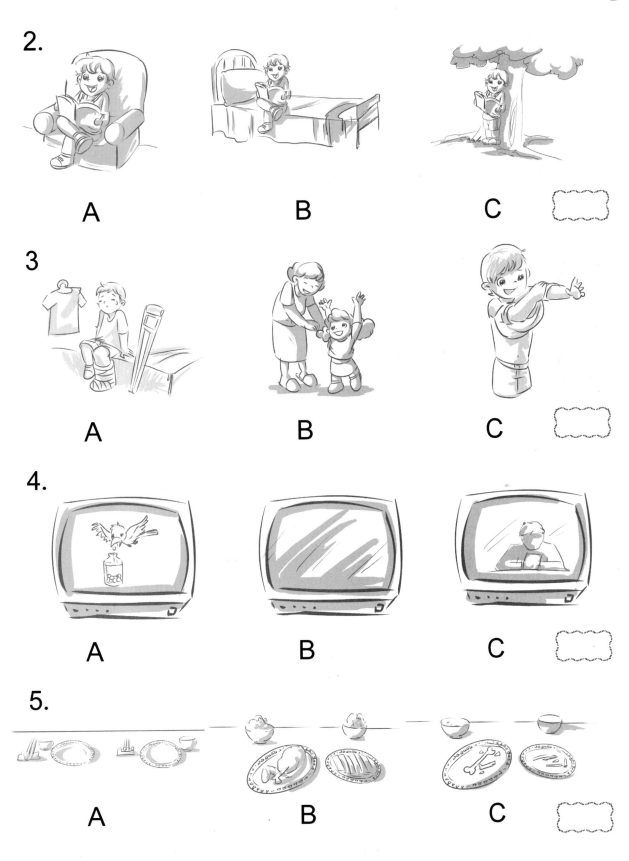

A

B

C

3

A

B

C

4.

A

B

C

5.

A

B

C

三、请听下面的对话，选择一个正确的答案：(10分)

1. A. 因为明天是母亲节

　 B. 因为妈妈是音乐老师

　 C. 因为小红喜欢听音乐

2. A. 让她休息

　 B. 爸爸要睡觉

　 C. 奶奶睡觉了

3. A. 很好

　 B. 不好

　 C. 不太好

4. A. 十一个

　 B. 十二个

　 C. 十一二个

5. A. 她很小

　 B. 骗她的人很小

　 C. 她说谎

第二部分

阅 读 (40 分)

一、选择正确的汉字或拼音：(10 分)

1. 爷爷正坐在沙____上看电视呢。

    A. 灰   B. 发   C. 友

2. 农民们知道又____骗了，生气地走了。

    A. 爱   B. 暖   C. 受

3. 书店今天一天____掉了三百五六十本书。

    A. 卖   B. 买   C. 头

4. 司马光砸破了缸，小朋友____救了。

    A. dé   B. děi   C. de

5. 钱包丢了，她____急地哭了。

    A. zhuó   B. zhe   C. zháo

二、选择合适的词语填空：(10 分)

1. 小强借____我一本非常好看的故事书。

    A. 到   B. 给   C. 会

2. 现在已经六点了，爸爸应该回____家了。

    A. 去   B. 来   C. 到

3. 我们要学___中文。

    A. 好　　　　　　　B. 完　　　　　　　C. 懂

4. 妹妹已经学___用中文写自己的名字了。

    A. 完　　　　　　　B. 会　　　　　　　C. 好

5. 检查牙齿的时候，医生让我张___嘴巴，说"啊"。

    A. 开　　　　　　　B. 上　　　　　　　C. 掉

三、把下面的词语排成正确的句子：(10分)

1. ①合上　　　②让我们　　　③老师　　　④书

_____

2. ①不舒服了　　②又　　　③他的肩膀　　④今天

_____

3. ①沙发上　　②坐　　　③奶奶　　　④在

_____

4. ①水　　　②缸里　　　③了　　　④装满

_____

5. ①受骗了　　②知道　　　③农民们　　　④自己

_____

四、读短文，选出正确的答案：(10分)

　　九月十日是中国的"教师节"，同学们想送给中文老师一份礼物。

　　送什么呢？同学们想来想去，决定(juédìng)送给老师一束鲜花和一张贺卡。第二天早上，鲜花买到了，可是没买到贺卡，怎么办？大家都非常着急。忽然，小强站起来说："我们在黑板上画一张吧！"大家都觉得这个主意(zhǔyi)很好，会画画儿的五六个同学急忙在黑板上画了起来。最后，每个人又用中文在贺卡上写了祝福的话。

　　礼物刚准备好，老师来了。她打开门，看见放在桌子上的鲜花和黑板上精美的贺卡，感动(gǎndòng)得流下了眼泪(lèi)。

　　1. 几月几日是中国的教师节？

　　　　A. 九月九日

　　　　B. 九月十日

　　　　C. 九月十一日

2. 同学们想送给中文老师什么礼物?

   A. 一束鲜花

   B. 一张贺卡

   C. 一束鲜花和一张贺卡

3. 他们送给老师一张什么样的贺卡?

   A. 买来的

   B. 同学们画的

   C. 别的班给的

4. 这张贺卡是几个人画好的?

   A. 小强一个人

   B. 五六个同学

   C. 全班同学

5. 中文老师为什么流下了眼泪?

   A. 因为感动

   B. 因为眼睛不舒服

   C. 因为看见鲜花

汉 字 (30分)

一、看拼音写汉字：(10分)

1. 小华正在写作业，_____(hūrán)弟弟跑过来关

   上了灯，让小华跟他玩游戏。

2. 小强的鱼____(gāng)里有五六条漂亮的小金鱼，

   整天快乐地游来游去。

3. 妹妹的口袋里_____(zhuāng mǎn)了好吃的糖。

4. 那只小白兔长着一双红红的眼睛和两只长长的耳朵，

   在草地上_____(bèng)来_____(bèng)去。

5. 同学们帮我搬家，我很____(gǎnjī)。

二、读句子写汉字：(5分)

1. 妈妈知道他说_____，很生气。

2. 我们要保_____动物。

3. 她钢琴弹得很棒，真让人羡_____。

4. _____界上有很多珍贵的动物。

5. 别着_____，慢慢来，你会学好的。

三、看图完成句子，每个空写2～5个字：(15分)

1. 她找＿＿＿＿＿＿。　2. 他＿＿＿＿走来走去。

3. 这篇文章她听＿＿＿。　4. 门已经＿＿＿＿＿。

5. 电视已经＿＿＿＿＿。

小任务　给大家讲一个有趣的故事吧。

汉语练习册·第五册

11 写"万"字

练一练

一、读一读拼音：

1. yǔyī   jiǎndān   lǎoshī   Běijīng

    kǎoyā   měitiān   yǎnchū   shǒudū

2. Qiān   shān   niǎo   fēi   jué，

    Wàn   jìng   rén   zōng   miè．

    Gū   zhōu   suō   lì   wēng，

    Dú   diào   hán   jiāng   xuě．

二、写一写汉字：

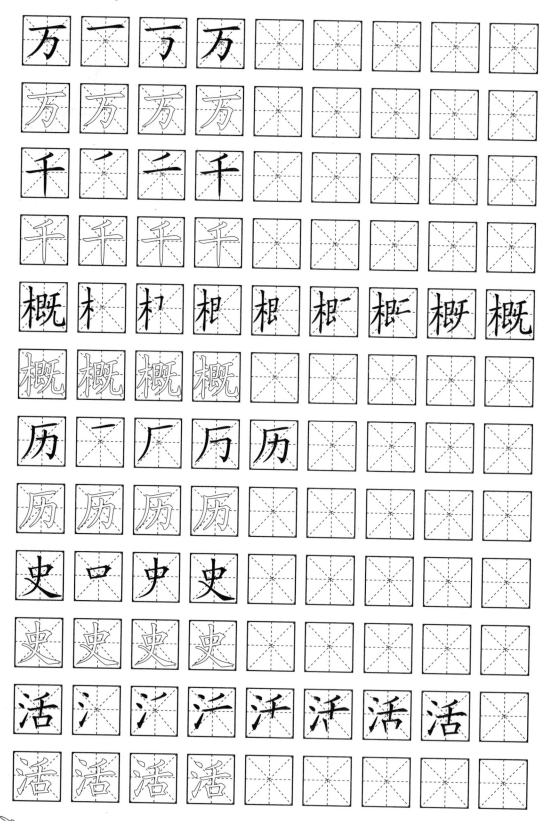

万	一	丁	万					
万	万	万	万					
千	一	二	千					
千	千	千	千					
概	木	术	杆	根	栶	椣	槪	概
概	概	概	概					
历	一	厂	历	历				
历	历	历	历					
史	口	屮	史					
史	史	史	史					
活	氵	氵	汗	沽	活	活		
活	活	活	活					

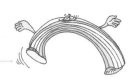

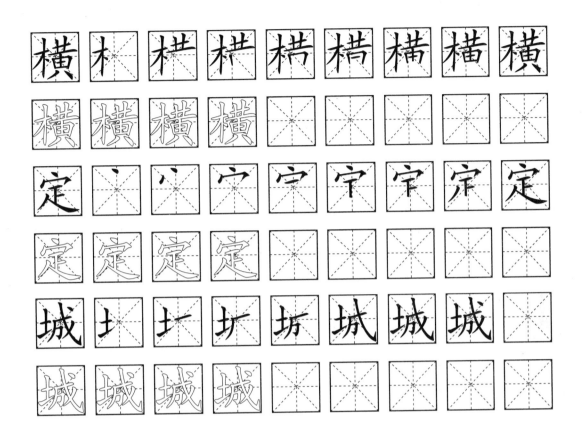

三、比一比字形：

| 万 | 一万 | 千 | 一千 |
| 方 | 地方 | 干 | 干净 |

| 活 | 生活 | 历 | 历史 |
| 话 | 说话 | 厉 | 厉害 |

四、认一认生词：

 万　　长城有一万多里。

 千　　昨天我花八千多块钱买了一台笔记本电
　　　　　脑。

生活　　让我们祝福世界上的每一个孩子都能快
　　　　　快乐乐地生活。

 横　　"十"字有一横，"二"字有两横。

 马上　　等一下，我马上就来。

 一定　　小华不想刷牙的时候，妈妈一定会说：
　　　　　"你一定要从小爱护你的牙齿。"

大概　　这个城市大概有五百多年的历史了。

五、说一说句子：

1.

这辆车十二万九千八百

块人民币（rénmínbì）。

11 236 个学生

这个学校有 _____

个学生。

7 403 本书

1 206 个座位

这家书店今天卖掉

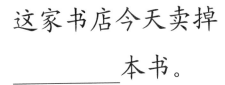本书。

这家电影院有＿＿＿＿

个座位。

2.

爷爷今年九十 多 岁了。

全世界大概有两百 多 个国家和地区。

我们学校有＿＿＿＿ 多 位老师，＿＿＿＿ 多 个学生。

我们已经学了＿＿＿＿＿＿＿ 多 ＿＿＿＿＿＿。

＿＿＿已经学会了＿＿＿＿＿＿ 多 ＿＿＿＿＿＿。

＿＿＿已经写完了＿＿＿＿＿＿ 多 ＿＿＿＿＿＿。

第二部分

测一测

一、请听下面的句子，选择一张合适的图：

1.

6 580 本
A

6 570 本
B

6 560 本
C

2.

A

B

C

3.

A

B

C

汉语练习册·第五册

二、选择合适的词语填空：

1. 中国的长城有一___多里。

　　A. 方　　　　　　B. 万　　　　　　C. 力

2. 小华已经会写一___多个汉字了。

　　A. 干　　　　　　B. 午　　　　　　C. 千

3. 叔叔结婚的时候，我送给他一张贺卡，祝他"生
　　___幸福"！

　　A. 活　　　　　　B. 话　　　　　　C. 适

4. 别着急，钱包___是忘在家了，给家里打个电话吧。

　　A. 忽然　　　　　B. 一定　　　　　C. 一起

5. 你告诉小华一声，再等一会儿，我们___就到。

　　A. 急忙　　　　　B. 已经　　　　　C. 马上

三、把下面的词语排成正确的句子：

1. ①岁了　　　②多　　　　③八十　　　　④奶奶

＿＿＿＿＿＿＿＿＿＿＿＿＿＿＿＿＿＿＿。

2. ①六十五　　②一万　　　③三百　　　　④八千

＿＿＿＿＿＿＿＿＿＿＿＿＿＿＿＿＿＿＿．

3. ①大概有　　②北京　　　③三千年的　④历史了

＿＿＿＿＿＿＿＿＿＿＿＿＿＿＿＿＿＿＿

12 雨后的天空更美丽

练一练

一、读一读拼音：

1. lǚxíng   yǎnyuán   qǐ chuáng   jiǎnchá

    Měiguó   yǐqián   zǎochá   liǎn pén

2. Kōng   shān   xīn   yǔ   hòu ，

    Tiān   qì   wǎn   lái   qiū .

    Míng   yuè   sōng   jiān   zhào ，

    Qīng   quán   shí   shàng   liú .

二、写一写汉字：

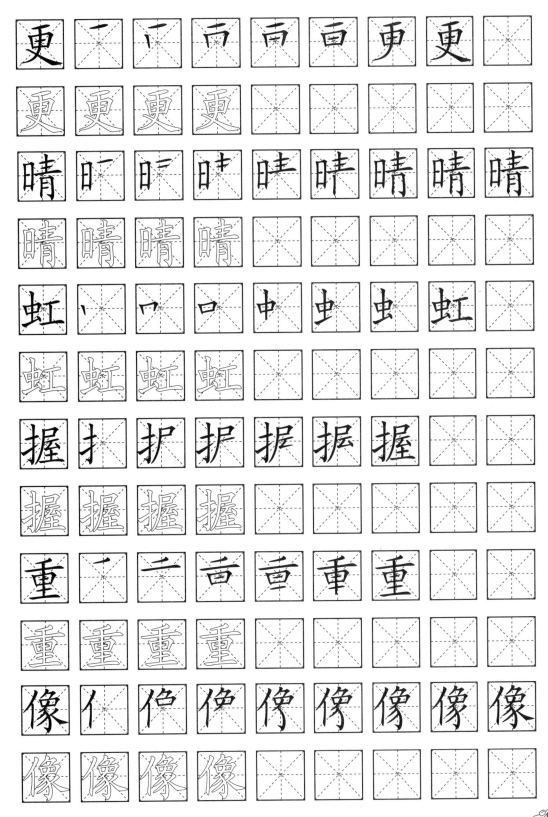

更	一	一	百	百	亘	更	更
更	更	更	更				
晴	日	日	日	晴	晴	晴	晴
晴	晴	晴	晴				
虹	丶	冖	口	中	虫	虫	虹
虹	虹	虹	虹				
握	扌	护	护	护	握		
握	握	握	握				
重	一	二	盲	重	重	重	
重	重	重	重				
像	亻	俉	像	像	像	像	像
像	像	像	像				

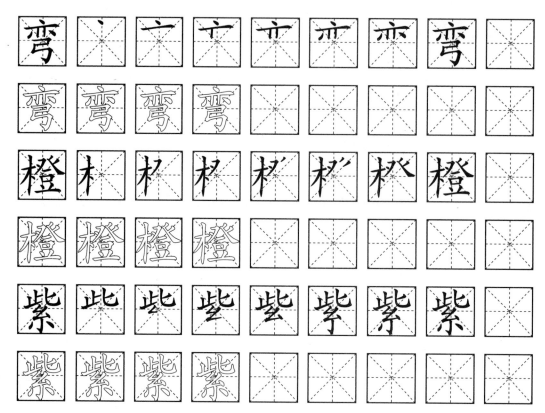

弯	亠	亠	亣	亦	弯	弯	
弯	弯	弯	弯				
橙	木	杉	杉	杉	杉	橙	
橙	橙	橙	橙				
紫	此	此	此	此	紫	紫	紫
紫	紫	紫	紫				

三、比一比字形：

| 气 | 空气 | 晴 | 晴天 |
| 吃 | 吃饭 | 睛 | 眼睛 |

| 像 | 好像 | 紫 | 紫色 |
| 象 | 大象 | 嘴 | 嘴巴 |

四、认一认生词：

天空　　天晴了，空气十分清新，鸟儿在天空中快
　　　　乐地飞来飞去。

更　　　我觉得这张地图挂在教室的后面更好。

场　　　昨天晚上我看了一场中国和日本的女子排
　　　　球比赛。

彩虹　　彩虹有七种颜色：红、橙、黄、绿、青、
　　　　蓝、紫。

像　　　他长得非常像我的哥哥。

弯　　　站在山上看山下的路，长长的、弯弯的，非常美。

傍晚　　傍晚的海边，风景美极了！

气温　　今天气温很高，屋子里很热，打开空调吧！

掌握　　今天学习的生词都很重要，一定要掌握。

五、说一说句子：

1. 哥哥高，爸爸 **更** 高。

_____ 聪明，_____ **更** 聪明。

_____ _____，_____ **更** _____。

小华掌握的汉字很多，小红掌握的汉字 **更** 多。

_____ 的 ____ ___，___ 的 ___ **更** _____。

2. 她的乒乓球打得好，她姐姐乒乓球打得 **更** 好。

小强汉语说得____，小华汉语说得 **更** _____。

爸爸____得____，妈妈____得____ **更** _____。

3. 雨后的天空 **更** 美丽。

节日里的唐人街 **更** _____。

_____的 _____ **更** _____。

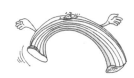

测一测

一、听一听，给下面的图涂上颜色：

二、请听下面的句子，选择一张合适的图：

1.

A   B   C

2.

A   B   C

三、选择合适的词语填空：

天空　　空气　　气温　　彩虹　　傍晚

1. ＿＿＿＿＿真漂亮呀！它有七种颜色呢！

2. 外婆家附近有一座山，那儿的＿＿＿＿＿十分清新。

3. 你看，那么多小鸟在＿＿＿＿＿飞来飞去。

4. ＿＿＿＿＿，公园里散步的人真不少。

5. 北京夏天的＿＿＿＿＿最高。

挂　　像　　弯弯　　场　　更　　重要

6. 小华的眼睛长得特别＿＿＿＿＿他爸爸。

7. 秋天来北京旅行的人＿＿＿＿＿多。

8. 衣服应该＿＿＿＿＿在衣柜里，不要放在床上。

9. 公园里有一座白色的、长长的、＿＿＿＿＿的桥。

10. 这几天，每天都要下一＿＿＿＿＿雨。

11. 陈老师在哪儿，我有很多＿＿＿＿＿的事情要告诉她。

13 白猫和黑猫

练一练

一、读一读拼音：

1. yǔfǎ   guǎngchǎng   yǒuhǎo   zhǎnlǎn

    xǐ zǎo   liǎojiě   hǎi shuǐ   yǒngyuǎn

2. Hǎo   yǔ   zhī   shí   jié ,

    Dāng   chūn   nǎi   fā   shēng .

    Suí   fēng   qián   rù   yè ,

    Rùn   wù   xì   wú   shēng .

二、写一写汉字：

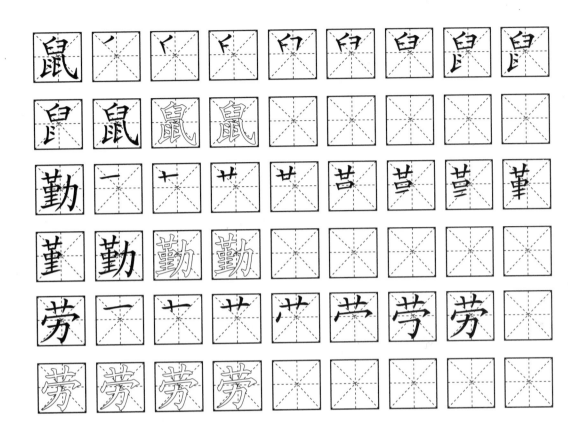

三、比一比字形：

便	便宜	准	标准
更	更好	谁	谁的

捉	捉老鼠	勤	勤劳
足	足球	鞋	皮鞋

四、认一认生词：

瘦　　我觉得弟弟太瘦了。

便宜　中国有一句话：好东西不便宜，便宜没有好东西。

养　　现在很多人喜欢养狗。

捉　　草地上有几只小鸡正在捉小虫子吃。

老鼠　小孩子都很喜欢看美国动画片《猫和老鼠》。

只　　这个句子太难了，全班只有五六个同学听懂了。

勤劳　小华是个非常勤劳的孩子，放学回到家常帮妈妈做事。

细心　妹妹细心地照顾生病的小猫。

标准　他的发音很标准，汉语说得很流利。

价钱　这台笔记本电脑的价钱太贵。

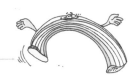

五、说一说句子：

1. 哥哥 比 爸爸高。

　　＿＿＿＿＿比＿＿＿＿＿瘦。

　　＿＿＿＿＿比＿＿＿＿＿＿＿＿＿。

　　这件衣服 比 那件便宜。

　　这座桥 比 ＿＿＿＿＿长。

　　我的 ＿＿＿＿＿＿ 比 她的 ＿＿＿＿＿＿。

　　＿＿＿＿＿＿＿＿＿＿ 比 ＿＿＿＿＿＿＿ ＿＿＿＿＿。

2. 这道题 比 那道 更 难。

　　小华现在的成绩 比 ＿＿＿＿ 更 好了。

　　＿＿＿＿＿ 比 ＿＿＿＿＿ 更 ＿＿＿＿＿。

3. 今天 没有 昨天暖和。

　　火车 没有 ＿＿＿＿ 快。

　　＿＿＿＿＿ 没有 ＿＿＿＿ ＿＿＿＿＿。

测一测

一、请听下面的对话，选择一个正确的答案：

1. A. 小强高   B. 小华高   C. 他们一样高

2. A. 两家商场都便宜   B. 这家商场

    C. 那家商场

3. A. 她瘦   B. 小丽瘦   C. 他瘦

4. A. 七岁   B. 八岁   C. 九岁

二、选择正确的拼音：

1. 妈妈做的饭____饭店里的好吃。

    A. pǐ   B. bǐ   C. cǐ

2. 这件衣服没有那件____宜。

    A. pián   B. biàn   C. piáng

3. 这道题比那道更____。

    A. nàn   B. náng   C. nán

4. 我____是想看看，不想买。

    A. zhī   B. zhǐ   C. jǐ

汉语练习册·第五册

三、看图完成句子，每个空写 3～6 个字：

1. 黑猫 _____。

2. 弟弟学习 _____。

四、读句子写汉字：

1. 王阿姨的女儿十分 _____ 心。

2. 你知道这种化妆品的 _____ 钱吗？

3. 小龙学习汉语特别刻苦，所以现在他的发音非常 _____ 准。

4. 农民们很 _____ 劳，他们每天都辛勤地工作着。

5. 我觉得这件毛衣不便 _____。

14 乌鸦和狐狸

练一练

一、读一读拼音：

1. mǎlù   kěpà   kǎo shì   qǐng jià

    yǒuyì   gǎnxiè   gǔdài   wǎnbào

2. Zhòng   niǎo   gāo   fēi   jìn ，

   Gū   yún   dú   qù   xián .

   Xiāng   kàn   liǎng   bú   yàn ，

   Zhǐ   yǒu   jìng   tíng   shān .

二、写一写汉字：

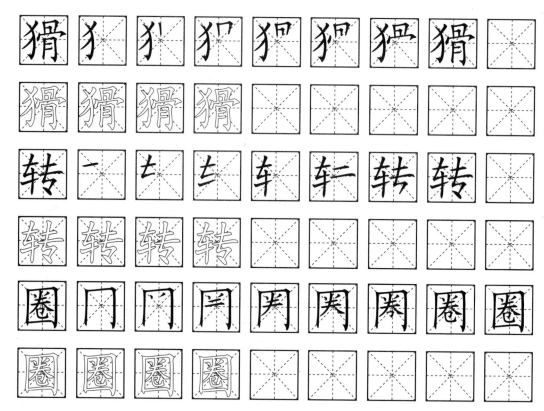

三、比一比字形：

乌	乌鸦
鸟	小鸟

狸	狐狸
理	道理

捡	捡起来
检	检查

馋	嘴馋
晚	晚上

四、认一认生词：

乌鸦　　中国人都不喜欢 乌鸦 和 狐狸。

月饼　　中秋节的时候，我送给奶奶一盒月饼。

捡　　　昨天在放学的路上，小红 捡 到了一只小猫。

馋　　　这只小 馋 猫每天都要吃很多。

叼　　　那只老虎捉到了一只羊，它用 嘴 叼 着羊

　　　　得意 地走了。

理　　　小华笑嘻嘻地走过去，可是小红不想 理 他。

狡猾　　那只 狡猾 的狐狸绕着大树 转 了好几 圈。

主意　　我们去找小强吧，他的主意最多。

抬　　　这张桌子一个人搬不动，我们一起 抬 吧。

五、说一说句子：

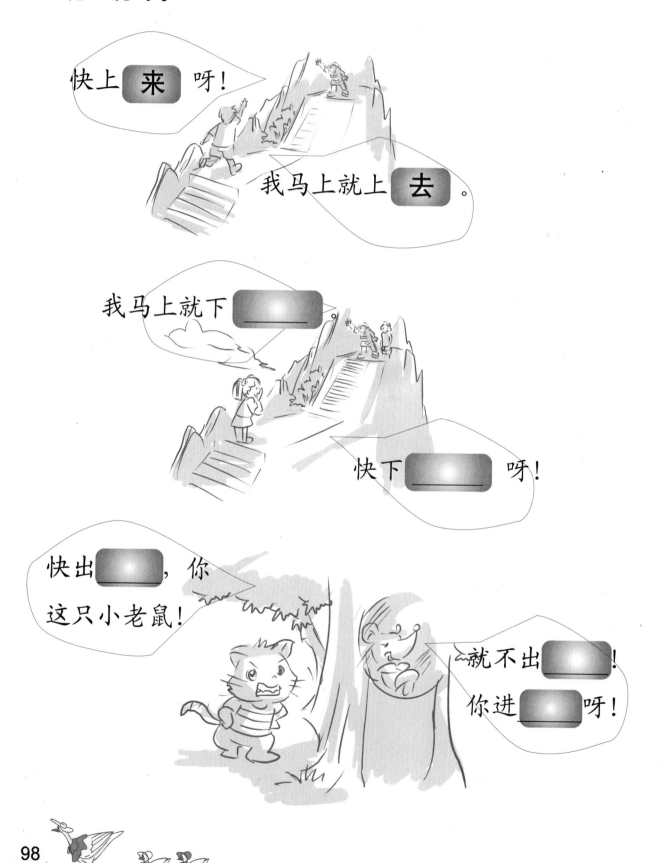

测 一 测

一、请听下面的句子，选择一张合适的图：

1.

A   B

2.

A   B

3.

A   B

4.

A   B

二、请听下面的对话，选择一个正确的答案：

1. A. 小红不喜欢他

   B. 小红没听见

   C. 小红不认识他

2. A. 她等姐姐一起回去

   B. 张老师不让她走

   C. 没放学呢

3. A. 回家了

   B. 上班了

   C. 逛超市去了

4. A. 全家的照片

   B. 信

   C. 贺年卡

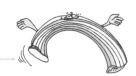

三、把下面的词语排成正确的句子：

1. ①送　　②叔叔　　③来　　④一盒月饼

_____

2. ①房间　　②去了　　③回　　④姐姐

_____

3. ①吧　　②来　　③进　　④快

_____

4. ①了　　②去　　③散步　　④爷爷

_____

四、看拼音写汉字：

1. _____（jiǎohuá）　　2. _____（zhǔyi）

3. _____（zhàoxiàngjī）　　4. _____（kěshì）

5. _____（zhuàn quān）　　6. _____（déyì）

15 骆驼和羊

听 力 (30 分)

一、选出你听到的拼音：(10 分)

1. rèn shū   rénshù
   (   )   (   )

2. tiāngōng   tiānkōng
   (   )   (   )

3. tèyì   déyì
   (   )   (   )

4. qínláo   qínglǎng
   (   )   (   )

5. húli   fúlì
   (   )   (   )

二、请听下面的句子，选择一张合适的图：(10 分)

1.

A   B   C

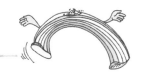

2.

A　　　　　　　　B　　　　　　　　C

3.

A　　　　　　　　B　　　　　　　　C

4.

A　　　　　　　　B　　　　　　　　C

5.

A　　　　　　　　B　　　　　　　　C

三、请听下面的对话，选择一个正确的答案：(10 分)

1. A. 2 000 个学生

   B. 2 600 个学生

   C. 2 600 多个学生

2. A. 凉快了

   B. 没有昨天热

   C. 比昨天更热

3. A. 彩虹

   B. 桥

   C. 下雨

4. A. 他在家

   B. 他出去了

   C. 上课去了

5. A. 全校东东长得最高

   B. 有的人高，有的人矮

   C. 不要只看自己的长处，不看短处

汉语练习册·第五册

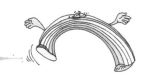

阅　读 (30 分)

一、选择正确的汉字或拼音：(10 分)

1. 雨后，天____了，空气十分清新。

　　A. 晴　　　　　　B. 晴　　　　　　C. 清

2. 挂在天空中的彩____，像一座七彩桥，美丽极了！

　　A. 红　　　　　　B. 虹　　　　　　C. 江

3. 狐____很聪明，可是人们却不太喜欢它。

　　A. 里　　　　　　B. 理　　　　　　C. 狸

4. 全校足球比赛，我们班得了第一名，大家都很
　　____意。

　　A. dé　　　　　　B. děi　　　　　　C. de

5. 小叶特别不爱运动，周末她____想在家里睡觉。

　　A. zhī　　　　　　B. zhǐ　　　　　　C. jǐ

二、选择合适的词语填空：(10 分)

1. 已经八点了，她还没来，我想她____是忘了今天
　　的事。

　　A. 忽然　　　　　　B. 一定　　　　　　C. 只

2. 小华的汉语说得很流利，＿＿＿汉字写得不太好，还应该 努力。

    A. 可以   B. 可能   C. 可是

3. 妹妹＿＿＿小时候长得更漂亮了。

    A. 比   B. 没有   C. 跟

4. 爸爸工作很辛苦，一个星期＿＿＿休息一天。

    A. 也   B. 又   C. 只

5. 冬天＿＿＿到，就下了一场大雪。

    A. 刚   B. 快   C. 要

三、把下面的词语排成正确的句子：(10 分)

1. ①老师   ②他的学校   ③有   ④六十多位

＿＿＿＿＿＿＿＿＿＿＿＿＿＿＿＿＿＿＿＿＿＿＿＿

2. ①五百   ②三千   ③九十七   ④一万

＿＿＿＿＿＿＿＿＿＿＿＿＿＿＿＿＿＿＿＿＿＿＿＿

3. ①便宜   ②比   ③那个书店的   ④这个书店的书

＿＿＿＿＿＿＿＿＿＿＿＿＿＿＿＿＿＿＿＿＿＿＿＿

4. ①没有   ②飞机   ③快   ④火车

＿＿＿＿＿＿＿＿＿＿＿＿＿＿＿＿＿＿＿＿＿＿＿＿

5. ①回   ②陈老师   ③去了   ④办公室

＿＿＿＿＿＿＿＿＿＿＿＿＿＿＿＿＿＿＿＿＿＿＿＿

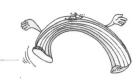

四、读短文，选出正确的答案：(10分)

　　中国女性一天要做多少事？要用多少时间？对这个问题，中央(zhōngyāng)电视台在全国做了一个调查。中国女性每天平均(píngjūn)工作时间是367分钟，比男性少半个小时；女性每天做饭、洗衣服、买东西的时间一共是192分钟，比男性多100多分钟；女性每天看书的时间是37分钟，比男性少十多分钟；看电视的时间，女性和男性都是160多分钟。

　　1. 中国女性每天平均工作多长时间？

　　　　A. 192分钟　　B. 367分钟　　C. 100分钟

　　2. 中国男性每天平均工作多长时间？

　　　　A. 337分钟　　B. 367分钟　　C. 397分钟

　　3. 女性做饭、洗衣服的时间比男性多吗？

　　　　A. 多　　　　　B. 不多　　　　C. 一样

　　4. 女性每天看书的时间比男性少多少？

　　　　A. 十多分钟　　B. 半个小时　　C. 100分钟

　　5. 做什么的时间，女性和男性一样？

　　　　A. 睡觉的时间　B. 休息的时间　C. 看电视的时间

汉 字 (30分)

一、看拼音写汉字：(10分)

1. 故事里的小白兔很聪明，也很_____（qínláo）。

2. 我觉得汉语不难，很_____（róngyì）。

3. 小时候，我跟外公、外婆一起在中国_____

（shēnghuó）了三四年。

4. 她想买一张____（shìjiè）地图送给弟弟作生日礼物。

5. 叔叔去过很多____（guójiā）。

二、看图完成句子，每个空写2～6个字：(20分)

1. 哥哥比_____。

2. 火车_____。

3. 他_____了。

4. 阿姨带_____。

强强　　龙龙　　真真

5. 真真跑得快，强强_____。

小任务　说一说你自己的长处和短处。

图书在版编目（CIP）数据

汉语·练习册·第五册 / 北京华文学院编. —修订版. —广州：暨南大学
出版社，2007.7
ISBN 978-7-81029-748-6

Ⅰ.汉…
Ⅱ.北…
Ⅲ.对外汉语教学
Ⅳ.H195

监　制：中国海外交流协会
监制人：刘泽彭
电话 / 传真：86-10-68320122

出版：暨南大学出版社
电话 / 传真：86-20-85221583
编写：北京华文学院
电话 / 传真：86-10-68995071

印刷：北京朝阳印刷厂有限责任公司
1998 年 10 月第 1 版　2007 年 7 月第 2 版　2007 年 7 月第 9 次印刷
889mm × 1194mm　　1 / 16